Janosch

Post für den Tiger

Janosch
POST FÜR DEN TIGER
Die Geschichte, wie der kleine Bär und der kleine Tiger die Briefpost, die Luftpost und das Telefon erfinden

BELTZ
& Gelberg

2. Auflage
135. Tausend Gesamtauflage, 1981

Programm Beltz & Gelberg, Weinheim
Einband von Janosch
Gesamtherstellung
Beltz Offsetdruck, 6944 Hemsbach über Weinheim
Printed in Germany
ISBN 3 407 805721

Einmal, als der kleine Bär wieder
zum Fluß angeln ging, sagte der
kleine Tiger:

»Immer, wenn du weg bist, bin ich so einsam. Schreib mir doch mal einen Brief aus der Ferne, damit ich mich freue, ja!«
»Ist gut«, sagte der kleine Bär und nahm gleich blaue Tinte in einer Flasche mit, eine Kanarienvogelfeder, denn damit kann man gut schreiben.

Und Briefpapier und einen Umschlag zum Verkleben.

Unten am Fluß hängte er zuerst einen Wurm an den Haken und dann die Angel in das Wasser. Dann nahm er die Feder und schrieb mit der Tinte auf das Papier einen Brief:

»Lieber Tiger!
Teile Dir mit, daß es mir gut geht,
wie geht es Dir? Schäle inzwischen
die Zwiebeln und koch Kartoffeln,

denn es gibt vielleicht Fisch.
Es küßt Dich Dein Freund Bär.«

Dann steckte er den Brief in den Umschlag und verklebte ihn.
Er fing noch zwei Fische: einen zur Speisung und einen, damit er ihm das Leben schenken konnte. Damit er sich darüber freut; denn Freude ist für jeden schön.

Abends nahm er den Fisch und den Eimer, die Tinte und die Feder und auch gleich den Brief mit und ging nach Haus.

Halt Bär, du hättest beinahe die Angel vergessen!

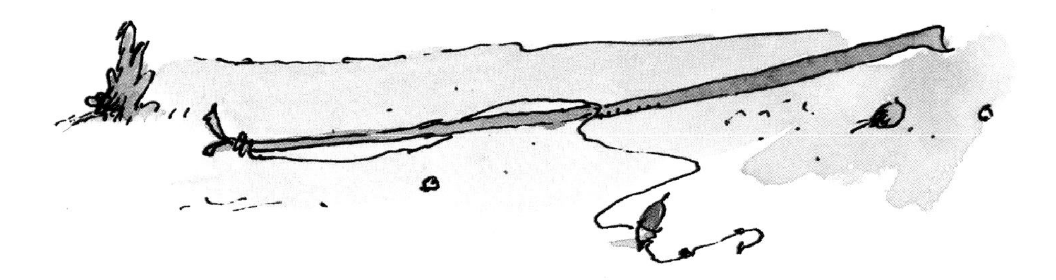

»O ja, schönen Dank«, sagt der
kleine Bär.
Er rief schon aus der Ferne vom
kleinen Berg herunter:

»Po-st-für-den-Ti-ger!
Po-st-für-den-Ti-ger!«

Aber der kleine Tiger hörte ihn nicht, weil er hinter dem Haus lag.

Hatte keine Zwiebeln geschält und keine Kartoffeln gekocht.Hatte die Stube nicht gefegt und auch die Blumen nicht gegossen. Hatte zu nichts Lust gehabt, weil er wieder so einsam war.

Und jetzt wollte er keinen Brief mehr.

Denn jetzt war der kleine Bär so-
wieso und persönlich und selbst
zu Haus.

In der Nacht weckte der kleine
Tiger den kleinen Bären und sagte:
»Ich muß dir schnell noch etwas
sagen, ehe du einschläfst. Könntest
du mir morgen den Brief etwas eher
schicken? Vielleicht durch einen
schnellen Boten?«
»Ist gut«, sagte der kleine Bär und
nahm am nächsten Tag wieder
alles mit. Die Tinte, die Feder, das
Papier, den Umschlag.

Aber auch eine Briefmarke.

Am Fluß hängte er wieder den
Wurm an die Angel und die Angel
in den Fluß.
Dann schrieb er:

»Lieber Freund Tiger.
Mach alles so, wie ich es Dir ge-
stern schon schrieb. Hoffentlich
geht es Dir gut. Schnelle Grüße und
heiße Küsse.
Dein Freund Bär.«

Da kam die elegante Gans vorbei.

»Ob Sie einen Brief mitnehmen könnten, bitte? An meinen Freund, den Tiger im Haus.«
»Tut mir leid«, sagte die elegante Gans. »Hab's eilig, muß auf eine Beerdigung.«

Dann kam der dicke Fisch vorbei.

»Ob Sie einen Brief mitnehmen
könnten an mei ...« da war der
Fisch schon weg.
Fische sind blitzschnell.
Und vielleicht auch schwerhörig.

Und dann kam die flinke Maus gelaufen.
Wollte den Brief nehmen.
Aber da kam so ein kleiner, blauer Wind, nahm den Brief wie ein Segel und wehte beinahe alles davon.

Dann kam der Fuchs vorbei.

»Ob Sie einen Brief mitnehmen könnten, Herr Fuchs?« fragte der kleine Bär. »An den Tiger im Haus?«

»Tiger im Haus?« sagte der Fuchs.
»Nein, tut mir leid, hab' keine Zeit.
Ich muß mit der eleganten Gans auf
ihre Beerdigung gehen.«

Ach, wie kurz ist doch das Leben,
kleine Gans!

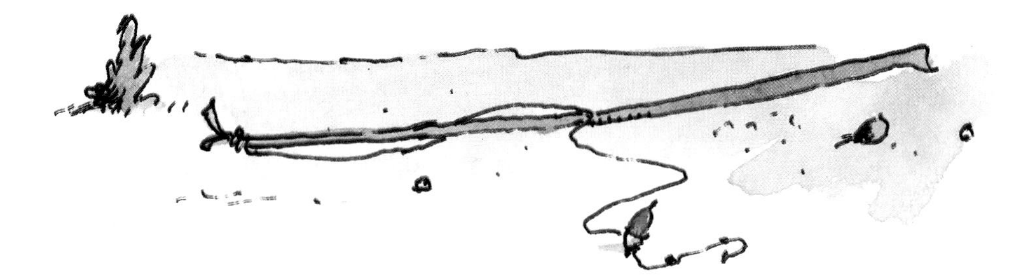

Dann kam der Elefant im Boot.

»He!« rief der kleine Bär, »hören Sie mal her!«
Aber der Elefant schlief wohl, denn er bewegte sich nicht.

Auch der Esel mit dem Rucksack
wollte den Brief nicht mitnehmen.
Und auch der kleine Mann mit der
langen Nase nicht.

Aber dann kam der Hase mit den schnellen Schuhen.
»Geben Sie her, Herr Bär!
Ist der Brief im Couvert?
Ist eine Briefmarke drauf?«
Und jetzt Hase, lauf!
Der Hase rannte, so schnell ihn seine Schuhe trugen, hasttuihnnichtgesehn zum Tiger nach Haus.

Der kleine Tiger hatte heute wieder zu nichts Lust gehabt. Hatte keine Zwiebeln geschält und keine Kartoffeln gekocht. Keine Stube gefegt und nicht einmal Feuer im Ofen gemacht.

»Post für den Tiger!« rief der schnelle Hase, und der Tiger sprang auf und rief:
»Wo wie was für wen und von wem?«
»Für den Tiger«, sagte der Hase.
»Oh, der Tiger bin ich selbst, geben Sie her!«
Er tanzte vor Freude auf dem Tisch, auf dem Stuhl, auf dem Bett, auf dem Sofa.
Las den Brief von vorn bis hinten und von hinten bis vorn.

Hatte jetzt wieder zu allem Lust und schälte die Zwiebeln, kochte Kartoffeln. Fegte die Stube, und das Leben war schön.
Er machte ein heißes Feuer im Ofen und holte Petersilie im Garten für den guten Fisch zum Abendbrot.

Und als der Bär nach Haus kam, machten sie sich einen gemütlichen Abend, aßen Fisch mit heißen Kartoffeln und tranken Gänsewein aus dem Brunnen.
Und nach dem guten Essen veranstalteten sie einen kleinen Budenzauber mit Geigenrabbatz und Tanzvergnügen. Einer spielte die Kochlöffelgeige, und der Tiger strich den Besenstielbaß.

Als der glückliche Maulwurf in der Ferne die schöne Musik hörte, kam er sofort zu Besuch.

Und tanzte auf dem Tisch mit seinem Spazierstock einen verliebten Schlummerlichtwalzer.

»Heut' ist der schönste Tag meines Lebens«, rief der kleine Tiger. Und das war nicht gelogen.

In der Nacht weckte der kleine Tiger
den kleinen Bären und sagte:
»Ehe du einschläfst, wollte ich dir
schnell bloß sagen: Morgen darfst
du dir Post wünschen. Damit du
dich auch mal freuen kannst.
Einmal ich und einmal du. Gute
Nacht noch.«

Am nächsten Tag nahm
der kleine Tiger den Korb für die
Pilze, die blaue Tinte in der Flasche,
die Feder und das Briefpapier und
ging in den Wald.

Heute schrieb *er* einen Brief an den kleinen Bären:

»Geliebter Freund und Bär!
Ich schreibe Dir hiermit einen Brief, daß Du Dich freust.
Hoffentlich sehen wir uns bald.
Heute abend gibt es Pilze in

Butter geschmort. Ich sehe sie
hier nebenan schon wachsen.
Mit Herzkuß Dein geliebter
Freund Tiger. Warte auf mich.«

Und so ging das jetzt jeden Tag.
Einmal schrieb der kleine Bär an
den kleinen Tiger, und dann wieder
umgekehrt.
Und der schnelle Hase war der
Briefträger.

Einmal in der Nacht weckte der
kleine Tiger den kleinen Bären und
sagte:
»Wir könnten doch auch einmal
einen Brief an unsere Tante Gans
schreiben. Damit sie sich auch mal
freut, ja?«
Also schrieben sie gleich am
nächsten Tag einen Brief an ihre
Tante Gans. Schöne Grüße, alles
Gute und wie es ihr gehe.

Dann schrieb die Gans an ihren
Vetter Igel.
Der Igel an den kleinen Mann mit
der langen Nase.

Der Elefant wollte an seine Frau
nach Afrika schreiben.
»Nach Afrika«, sagte der schnelle
Hase, »kann ich nicht laufen. Das
wäre Luftpost. Den befördert die
Brieftaube hinüber.«

Und weil jetzt jeder mal einen Brief schreiben wollte, konnte der schnelle Hase die Arbeit allein nicht bewältigen, und er stellte die anderen Hasen aus dem Wald als Briefträger ein.
»Ihr müßt«, sagte er, »schnell und schweigsam sein. Dürft die Briefe nicht lesen und das, was darin steht, niemandem erzählen. Alles klar?«
»Alles klar«, riefen die Hasen mit den schnellen Schuhen, und alles war klar.

Dann wurden Kästen für die Briefe an alle Bäume gehängt, damit die Hasen sie nicht mehr bei jedem abholen mußten. Und gelb gestrichen.

Einmal sagte der kleine Tiger:
»Aber wenn du im Wohnzimmer
bist, ist es mir in der Küche auch
so einsam, Bär.«
Da legten sie einen Gartenschlauch
von hier nach dort. - Haustelefon.
»Hören Sie mich, hallo, hören Sie
mich, wer spricht dort?«

»Hier spricht der Herr Bär, ich verstehe Sie deutlich.«
»Wir könnten doch«, sagte der kleine Tiger, »auch ein Telefon durch den Fluß legen, dann brauche ich nicht immer so schwer zu schreiben.«
Und das taten sie auch.
Unterwasserkabel.

»Und wenn wir so ein Telefon unter der Erde hätten«, sagte der kleine Tiger, »könnten wir durch den ganzen Wald bis zu unserer Tante Gans telefonieren.«

Da gruben die Maulwürfe ein unterirdisches Kabel-Telefon-Unterhaltungsnetz. Von hier nach dort und von dort nach da, kreuz und quer.

»Hallo, Tante Gans, hier spricht dein kleiner Tiger.
Kannst du mich hören, Tante Gans? Ja, ich bin hier, der Ti–ger mit dem kleinen Tigerschwänzchen hinten, dein Neffe.«
»Und ich der Bär«, rief der Bär, »sag, ich bin auch hier, Tiger!«

Der Elefant telefonierte mit der Zentrale.
»Hier Zentrale. Hier Zentrale. Nach Afrika? Nein, leider keine Verbindung nach Afrika möglich. Ende.«
»Nicht so schlimm«, sagte der Elefant, »dann schreib ich per Luftpost.«

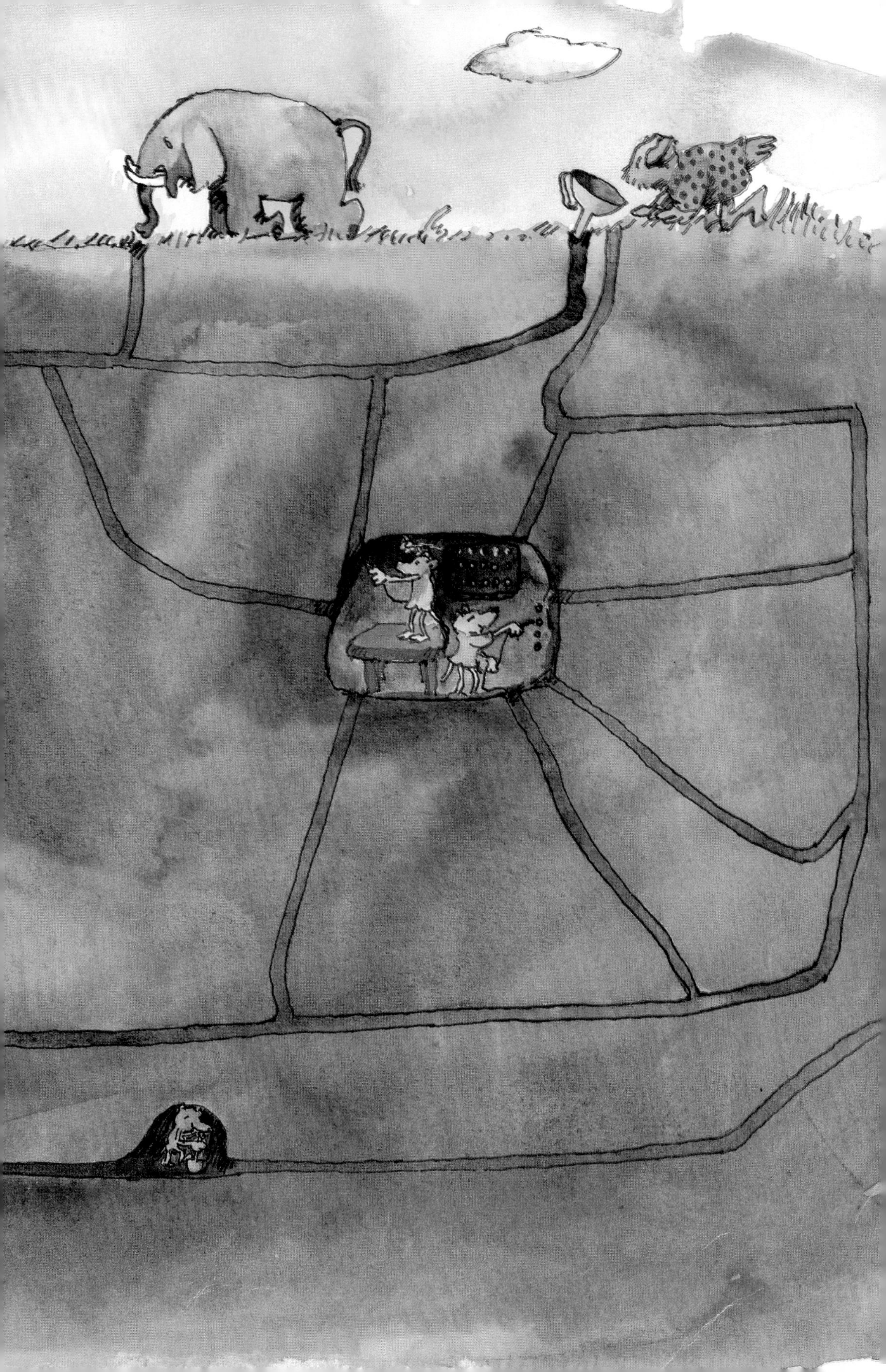

Und jetzt konnte hier jeder im Wald und am Fluß an jeden einen Brief schreiben, und wenn er wollte, mit seiner Freundin in der Ferne reden.
War das nicht fabelhaft?

»O Bär«, sagte der Tiger, »ist das Leben nicht unheimlich schön, sag!«
»Ja«, sagte der kleine Bär, »ganz unheimlich und schön.«

Und da hatten sie verdammt ziemlich recht.

Janosch (signature)

Das große Janosch-Buch
Geschichten und Bilder. 293 Seiten.
Leinen mit Umschlag. DM 28,–
Auswahlliste Deutscher Jugendbuchpreis.

Die Maus hat rote Strümpfe an
Janosch's bunte Bilderwelt. 128 S.
Leinen mit Umschlag. DM 32,–
Auswahlliste Deutscher Jugendbuchpreis.

Einer
Geschichte von Christine Nöstlinger
mit vierfarbigen Bildern von Janosch.
32 Seiten. Pappband. DM 17,80

Ich sag, du bist ein Bär
Vierfarbiges Bilderbuch. 32 Seiten.
Pappband. DM 17,80
Auswahlliste Deutscher Jugendbuchpreis.

Janosch erzählt Grimm's Märchen
256 Seiten. Leinen mit Umschlag. DM 26,–

Janosch's kleine Bärenbücher:
je 32 Seiten. Je DM 1,50
(Bisher sind 8 Mini-Bücher erschienen).

Kasperglück und Löwenreise
Jeden Abend eine Geschichte.
283 Seiten. Paperback. DM 12,80

Komm, wir finden einen Schatz
Vierfarbige Bildergeschichte.
48 Seiten. Pappband. DM 14,80

Oh, wie schön ist Panama
Vierfarbige Bildergeschichte.
48 Seiten. Pappband. DM 14,80
Deutscher Jugendbuchpreis '79

Post für den Tiger
Vierfarbige Bildergeschichte.
48 Seiten. Pappband. DM 12,80

Traumstunde für Siebenschläfer
Vierfarbige Bildergeschichte.
32 Seiten. Pappband. DM 12,80

Preise unverbindlich